这是我的书
It's MY BOOK
7级：400字

成语故事

望梅止渴

作者：晓白（Xiao Bai）
插图：冰河插画（Bing He Design）

北京语言大学出版社
BEIJING LANGUAGE AND CULTURE UNIVERSITY PRESS

PHOENIX TREE PUBLISHING INC.

识　读　口渴　命令　湿　办法
难　晒

句　型　带……去……

字　数　410字

rú guǒ kǒu kě le yòu zhǎo bu dào shuǐ hē
如果口渴了，又找不到水喝，
gāi zěn me bàn ne zhōng guó gǔ dài yǒu gè wàng
该怎么办呢？中国古代有个“望
méi zhǐ kě de gù shi jiǎng de shì dōng hàn mò nián
梅止渴”的故事，讲的是东汉末年
yí wèi jiào cáo cāo de jiāng jūn yòng yí gè yǒu qù de
一位叫曹操的将军，用一个有趣的
bàn fǎ wèi shì bīng men jiě kě de gù shi
办法为士兵们解渴的故事。

qī yuè de yì tiān cáo cāo dài bīng qù dǎ zhàng
七月的一天，曹操带兵去打仗。
tā men zǒu zài shān lù shang tiān shàng yí piàn yún yě
他们走在山路上，天上一片云也
méi yǒu tài yáng xiàng yí gè dà huǒ qiú bǎ shān lù
没有，太阳像一个大火球，把山路
liǎng biān de shí tou dōu shài de rè rè de měi gè rén
两边的石头都晒得热热的，每个人
dōu rè de tòu bu guò qì lai
都热得透不过气来。

zhōng wǔ shì bīng men de yī fu dōu bèi hàn shuǐ
中午，士兵们的衣服都被汗水
shī tòu le kě shì yòu méi yǒu shuǐ hē měi gè rén dōu
湿透了，可是又没有水喝，每个人都
zài hǎn kǒu kě yǒu jǐ gè shì bīng bù tīng mìng lìng zuò
在喊口渴。有几个士兵不听命令，坐
zài dì shang shuō shén me yě bù xiǎng zài wǎng qián zǒu le
在地上，说什么也不想再往前走了。

cáo cāo xīn xiǎng hái yǒu nà me yuǎn de lù rú
曹操心想：还有那么远的路，如
guǒ zài zhǎo bu dào shuǐ hē duì wu jiù hěn nán zài qián jìn
果再找不到水喝，队伍就很难再前进
le hái zěn me dǎ zhàng ne wǒ děi xiǎng gè bàn fǎ
了，还怎么打仗呢？我得想个办法，
ràng dà jiā zǒu chu zhè li tā kàn le kàn qián miàn lǜ
让大家走出这里！他看了看前面绿
lǜ de shù lín tū rán xiǎng dào le yí gè hǎo zhú yi
绿的树林，突然想到了一个好主意。

tā fēi kuài de pá shang shān dǐng zhǐ zhe qián miàn
他飞快地爬上山顶，指着前面
de shù lín dà hǎn dà jiā kuài kàn qián miàn yǒu
的树林大喊：“大家快看！前面有
yí dà piàn méi lín nà li de méi zi yòu dà yòu
一大片梅林！那里的梅子又大又
hǎo chī dà jiā kuài zǒu a pá guò zhè zuò shān
好吃！大家快走啊！爬过这座山
jiù néng chī dào méi zi le
就能吃到梅子了！”

shì bīng men yì tīng xiǎng dào le yòu suān yòu tián
士兵们一听，想到了又酸又甜

de méi zi dōu liú chu le kǒu shuǐ yí xià zi yě
的梅子，都流出了口水，一下子也

bù jué de kǒu kě le tā men jiā kuài jiǎo bù xiàng qián
不觉得口渴了。他们加快脚步向前

zǒu qù zhōng yú zǒu dào le yǒu shuǐ de dì fang
走去，终于走到了有水的地方。

xiàn zài nǐ zhī dào le ba kǒu kě de shí
现在你知道了吧？口渴的时

hou xiǎng xiǎng suān suān de dōng xi jiù huì yǒu kǒu shuǐ
候，想想酸酸的东西，就会有口水

liú chu lai zhè yàng jiù bù jué de kǒu kě le zhè
流出来，这样就不觉得口渴了。这

ge jiě kě de bàn fǎ xíng bu xíng ne xià cì kǒu
个解渴的办法行不行呢？下次口

kě de shí hou nǐ kě yǐ shì yi shì
渴的时候，你可以试一试。

1 如果口渴了，又找不到水喝，该怎么办呢？中国古代有个“望梅止渴”的故事，讲的是东汉末年一位叫曹操的将军，用一个有趣的办法为士兵们解渴的故事。

2 七月的一天，曹操带兵去打仗。他们走在山路上，天上一片云也没有，太阳像一个大火球，把山路两边的石头都晒得热热的，每个人都热得透不过气来。

3 中午，士兵们的衣服都被汗水湿透了，可是又没有水喝，每个人都在喊口渴。有几个士兵不听命令，坐在地上，说什么也不想再往前走了。

4 曹操心想：还有那么远的路，如果再找不到水喝，队伍就很难再前进了，还怎么打仗呢？我得想个办法，让大家走出这里！他看了看前面绿绿的树林，突然想到了一个好主意。

5 他飞快地爬上山顶，指着前面的树林大喊：“大家快看！前面有一大片梅林！那里的梅子又大又好吃！大家快走啊！爬过这座山就能吃到梅子了！”

6 士兵们一听，想到了又酸又甜的梅子，都流出了口水，一下子也不觉得口渴了。他们加快脚步向前走去，终于走到了有水的地方。

7 现在你知道了吧？口渴的时候，想想酸酸的东西，就会有口水流出来，这样就不觉得口渴了。这个解渴的办法行不行呢？下次口渴的时候，你可以试一试。

1

2

3

4

5

6

看图讲故事

7